O ex-estranho

Paulo Leminski

O EX-ESTRANHO

Organização e seleção
Alice Ruiz S e
Áurea Leminski

ILUMI//URAS

Copyright © 1996
Alice Ruiz Schneronk, Áurea Alice Leminski e Estrela Ruiz Leminski

Copyright © desta edição
Editora Iluminuras Ltda.

Capa e criação gráfica
Fê

Revisão
Alice Ruiz S
Elisa Jorge Costa Briant
Alexandre J. Silva

DADOS INTERNACIONAIS DE CATALOGAÇÃO NA PUBLICAÇÃO

L554   Leminski, Paulo (1944-1989)
　　　　Ex-estranho / Paulo Leminski ; organizado por Alice
　　　Ruiz S. e Áurea Leminski.
　　　São Paulo : Iluminuras, 2009. 80 p. 3. ed. 9. reimpressão, 2018.

　　　ISBN: 85-7321-029-X

　　　　1. Poesia Brasileira. 2. Poesia Paranaense. I Ruiz S, Alice
　　　II. Leminski, Áurea. III. Título.

CDD: 869.9162

2018
EDITORA ILUMINURAS LTDA.
Rua Inácio Pereira da Rocha, 389 - 05432-011 - São Paulo - SP - Brasil
Tel./Fax: (11)3031-6161
iluminuras@iluminuras.com.br
www.iluminuras.com.br

ÍNDICE

Uma poesia ex-estranha 11
Alice Ruiz S

O EX-ESTRANHO

Invernáculo 19
Já disse de nós 20
Desastre de uma ideia 21
Rimo e rimos...22
Sei lá 23
Leite, leitura 24
O barulho do serrote 25
Redonda 26
No instante do entanto 27
Olinda Wischral 28
Take p/Bere 29
Feliz coincidência 30
Este planeta, às vezes, cansa 31
Misto de tédio e mistério 32
Azuis como os sorrisos das crianças 33

Meu eu brasileiro 34
Para umas noites que andam fazendo 35
Nunca sei ao certo 36
Tamanho momento 37
A todos que me amam 38
Hieróglifo 39
Hexagrama 65 40
Dionisos ares Afrodite 41
Da tertúlia poetarum 42
Amar: armas debaixo do altar 43
Sacro Lavoro 44
O que o amanhã não sabe 45
Datilografando este texto 46
Mil e uma noites até Babel 47
Johnny B. Good 48
Morar bem 49
Twisted Tongue 50
Por mais que eu ande 51
Acordei e me olhei no espelho 52
Arte que te abriga arte que te habita 53
Carne alma 54
S.O.S. 55
Re 56
Só 57
Outubro 58
Viver é superdifícil 59
Trevas 60
Lá vão elas 61
No centro 62
Depois de muito meditar 63

PARTE DE AM/OR

Investígio 67
A uma certa pluma 68
Campo de sucatas 69
1987, tende piedade de nós 70
Jardim da minha amiga 71
Ah se pelo menos 72
Amar você é coisa de minutos 73
1.Animais zelam pela abóbada 74

Sobre o autor 79

UMA POESIA EX-ESTRANHA

Alice Ruiz S

O ex-estranho é uma seleção entre os últimos inéditos do Paulo.

Veio junto com o *La vie en close*, mas num envelope à parte.

Dentro dele, cópias ou versões de poemas já publicados, outros visivelmente inacabados e outros prontos.

Entendi esse envelope à parte, como um outro volume que estava sendo preparado, deixado para pensar mais tarde. E assim o fiz.

Com a proposta da Fundação Cultural, para publicar poemas inéditos, este envelope último voltou à tona, decidindo que o seu tempo de acontecer tinha chegado.

A expressão ex-estranho aparece dentro do poema "Ópera Fantasma" no *La vie en close*.

> *Nada tenho.*
> *Nada me pode ser tirado.*
> *Eu sou o ex-estranho,*
> *o que veio sem ser chamado*
> *e, gato, se foi sem fazer nenhum ruído.*

"Ex-estranho" é o título de outro poema, também publicado no *La vie en close*.

O ex-estranho

passageiro solitário
o coração como alvo
sempre o mesmo, ora vário,
aponta a seta, sagitário
para o centro da galáxia.

Ambos estavam no envelope, logo depois do pequeno pré-prefácio, feito pelo Paulo, como uma pista de um título possível para este estranho livro ex.

Entre as cento e poucas páginas fomos, eu e Áurea, fazendo nossa seleção separadamente e depois as comparamos discutindo os porquês das poucas escolhas e ou exclusões que não coincidiam.

Nesses momentos, contamos também com a opinião da nossa poeta Estrela. Lá estávamos, as três, como tantas vezes, reunidas em torno da palavra. E agora, como antigamente, tinha também a palavra do Paulo. E sua ausência.

E a necessidade de rigor mandando a saudade ficar quieta para o coração poder pensar. Para nos apoiar como guia, o poema "depois de muito meditar" nos dizia: relaxe, é só seguir o coração, ele faz a escolha.

Chegamos a quarenta e poucos poemas. Podia ter mais. E tinha.

Todos os poemas que fizemos, um para o outro, guardávamos em uma pasta com o título de AM/OR. Vários já foram publicados, outros provavelmente não serão, por serem excessivamente pessoais mas, entre eles, encontramos alguns que, por sua qualidade, tinham que estar presentes neste último livro de poemas.

São o anexo final com o título "Parte de AM/OR". Vão de 1968 a 1988.

Os poemas inéditos publicáveis acabam aqui.

Ainda falta trabalhar no prosa deixada, contos, ensaios, uma novela.

Tudo a seu tempo. O tempo agora é de poesia.

Uma poesia que registra sua paixão pela palavra, como em "Invernáculo", seu compromisso com a religiosidade como em, entre outros, "Amar: armas debaixo do altar", poesia como um ato de fé em "Sacro Lavoro" e outras tantas despedidas de coisas e pessoas que ele amou.

Não há o que dizer sobre esta poesia que ela mesma já não diga, nem estou aqui para falar dela. Minha função é reuni-la com o respeito pela qualidade que o Paulo sempre exigiu e defendeu, sem permitir que treinos e exercícios venham a público, como muto já se viu acontecer depois que um artista se vai.

Aqui fica este poeta que se foi. Estranho e estrangeiro na experiência vida. Mas porque é ex-estranho, quem sabe, agora, totalmente em casa. Curado da tarefa de viver, esse, para quem "viver não tem cura".

O EX-ESTRANHO

Este livro de poemas, que ia se chamar O EX-ESTRANHO, expressa, na maior parte de seus poemas, uma vivência de despaisamento, o desconforto do not-belonging, o mal-estar do fora de foco, os mais modernos dos sentimentos. Nisso, cifra-se, talvez, sua única modernidade.

p. leminski

INVERNÁCULO
(3)

Esta língua não é minha,
qualquer um percebe.
Quando o sentido caminha,
a palavra permanece.
Quem sabe mal digo mentiras,
vai ver que só minto verdades.
Assim me falo, eu, mínima,
quem sabe, eu sinto, mal sabe.
Esta não é minha língua.
A língua que eu falo trava
uma canção longínqua,
a voz, além, nem palavra.
O dialeto que se usa
à margem esquerda da frase,
eis a fala que me lusa,
eu, meio, eu dentro, eu, quase.

Já disse de nós.
Já disse de mim.
  Já disse do mundo.
Já disse agora,
  eu já disse nunca.
Todo mundo sabe,
  eu já disse muito.

Tenho a impressão
que já disse tudo.
  E tudo foi tão repente.

desastre de uma ideia
só o durante dura
   aquilo que o dia adiante adia

   estranhas formas assume a vida
quando eu como tudo que me convida
   e coisa alguma me sacia

   formas estranhas assume a fome
quando o dia é desordem
   e meu sonho dorme

   fome da china   fome da índia
fome que ainda não tomou cor
   essa fúria que quer
                    seja lá o que flor

RIMO E RIMOS

Passarinho parnasiano,
nunca rimo tanto como faz.
Rimo logo ando com quando,
mirando menos com mais.
Rimo, rimo, miras, rimos,
como se todos rimássemos,
como se todos nós ríssemos,
se amar fosse fácil.

Perguntarem por que rimo tanto,
responder que rima é coisa rara.
O raro, rarefeitamente, para,
como para, sem raiva, qualquer canto.
Rimar é parar, parar para ver e escutar
remexer lá no fundo do búzio
aquele murmúrio inconcluso,
Pompeia, ideia, Vesúvio,
o mar que só fala do mar.

Vida, coisa pra ser dita,
como é dita este fado que me mata.
Mal o digo e já meu dito se conflita
com toda a cisma que, maldita, me maltrata.

SEI LÁ

vai pela sombra, firme,
o desejo desespero de voltar
antes mesmo de ir-me
antes de cometer o crime,
me transformar em outro
ou em outro transformar-me
quem sabe obra de arte,
talvez, sei lá, falso alarme,
grito caindo no poço,
neste pouco poço nada vejo nem ouço,
mais mais mais
cada vez menos

poder isso, sinto, é tudo que posso,
o tão pouco tudo que podemos

leite, leitura,
letras, literatura,
   tudo o que passa,
tudo o que dura
   tudo o que duramente passa
tudo o que passageiramente dura
   tudo, tudo, tudo,
não passa de caricatura
   de você, minha amargura
de ver que viver não tem cura

o barulho do serrote
o barulho de quem lava roupa
    parecem o choro de quem chora
uma vida pouca
    parece até que está na hora
de levantar
    e ver que a vida
nunca vai ser outra

Redonda. Não, nunca vai ser redonda
essa louca vida minha
    essa minha vida quadrada,
quadra, quadrinha,
    não, nada,
essa vida não vai ser minha.

Vida quebrada ao meio,
você nunca disse a que veio.

NO INSTANTE DO ENTANTO

diga minha poesia
e esqueça-me se for capaz
siga e depois me diga
quem ganhou aquela briga
entre o quanto e o tanto faz

OLINDA WISCHRAL

pessoas deviam poder evaporar
quando quisessem
não deixar por aí
lembranças pedaços carcaças
gotas de sangue caveiras esqueletos
e esses apertos no coração
que não me deixam dormir

TAKE P/BERE

foi tudo muito súbito
tudo muito susto
tudo assim como a resposta
fica quando chega a pergunta

esse isso meio assunto
que é quando a gente está longe
e continua junto

FELIZ COINCIDÊNCIA

qualquer coincidência
é mera semelhança
enquanto o quixote pensa
sancho coça a sancha pança

todas as coisas sejam iguais
que o vermelho seja verde
o azul seja amarelo
e sempre seja nunca mais

este planeta, às vezes, cansa,
almas pretas com suas caras brancas
     suas noites de briga braba,
sujas tardes de água mansa,
     minutos de luz e pavor

     casa cheia de doce,
ondas tinindo de dor,
     acabou-se o que era amargo,
pisar este planeta
     como quem esmaga uma flor

misto de tédio e mistério
meio dia / meio termo
  incerto ver nesse inverno
medo que a noite tem
  que o dia acorde mais cedo
e seja eterno ao amanhecer

azuis como os sorrisos das crianças
e pesados como os provérbios das velhas
    anos cultivei a ideia do poema
coisa inteira, ovo, ânsia e antena,
    meus poemas são ideias
ontem, coisa inteira, hoje, apenas manchas

MEU EU BRASILEIRO

quisera poder pensar
como se faz no velho mundo
eles me querem espelho
como se não tivesse mistério
essa minha falta de assunto

PARA UMAS NOITES QUE ANDAM FAZENDO

deixe eu abrir a porta
quero ver se a noite vai bem

quem sabe a lua lua
ou nos sonhos crianças
sombras murmuram amém

deixa ver quem some antes
a nuvem a estrela ou ninguém

nunca sei ao certo
se sou um menino de dúvidas
ou um homem de fé

certezas o vento leva
só dúvidas continuam de pé

TAMANHO MOMENTO

nossa senhora da luz
ouro do rio belém
que seja eterno este dia
enquanto a sombra não vem

a todos que me amam
ou me amaram um dia
   deixo apenas um padre nosso
maio mal passado
   e essa espécie de ave maresia

HIERÓGLIFO

   Todas as coisas estão aí
para nos iluminar.
   Discípulo pronto,
o mestre aparece
   imediatamente,
sob a forma de bicho,
   sob a sombra de hino,
sob o vulgo de gente
   como num livro, devagar.

   Mestre presente,
a gente costuma hesitar,
   nem se sabe se o bicho sente
o que sente a gente
   quando para de pensar.

HEXAGRAMA 65

Nenhuma dor pelo dano.
Todo dano é bendito.
Do ano mais maligno,
nasce o dia mais bonito.

1 dia
  1 mês, 1
    ano.
/

DIONISIOS ARES AFRODITE

aos deuses mais cruéis

juventude eterna

eles nos dão de beber

na mesma taça

o vinho, o sangue e o esperma

DE TERTULIA POETARUM

de tortura militum
libera nos domine
de nocte infinita
libera nos domine
de morte nocturna
libera nos domine

AMAR: ARMAS DEBAIXO DO ALTAR

para frei betto e frei leonardo boff

santa é a gente
quando lá fora faz frio
e aqui dentro está mais quente
- entre! Digo eu,
hora de ser igual,
hora de ser diferente,
entre você e entre

SACRO LAVORO

as mãos que escrevem isto
um dia iam ser de sacerdote
transformando o pão e o vinho forte
na carne e sangue de cristo

hoje transformam palavras
num misto entre o óbvio e o nunca visto

O que o amanhã não sabe,
o ontem não soube.
Nada que não seja o hoje
jamais houve.

DATILOGRAFANDO ESTE TEXTO

ler se lê nos dedos
não nos olhos
que olhos são mais dados
a segredos

MIL E UMA NOITES ATÉ BABEL

Torre
cujo tombo
    virou lenda,
até hoje,
    a sombra,
como um membro,
    lembra.

JOHNNY B. GOOD

tem vezes que tenho vontade
de que nada mude
vou ver
mudar é tudo que pude

morar bem
morar longe
  morar lá onde
mora meu
  mais distante quando

TWISTED TONGUE
(2)

   my ears
can't believe my eyes

   the water falls
bet the fire
         flies

por mais que eu ande
nada em mim imagina
o que é que menina
tão pequena está fazendo
numa cidade tão grande

acordei e me olhei no espelho
ainda a tempo de ver
meu sonho virar pesadelo

arte que te abriga arte que te habita
arte que te falta arte que te imita
arte que te modela arte que te medita
arte que te mora arte que te mura
arte que te todo arte que te parte
arte que te torto ARTE QUE TE TURA

78

carne   alma
forma   conteúdo
  sobre nós
a sombra de tudo

S.O.S.

não houve sim que eu dissesse
que não fosse o começo
de um esse o esse

```
            re
         mortas
eras              remotas
          mil
           &
          uma
         portas
```

só
lamente
uma
vez

outubro
no teto passos pássaros
gotas de chuva

viver é superdifícil
o mais fundo
   está sempre na superfície

Trevas.
Que mais pode ler
um poeta que se preza?

lá vão elas
um dia, as pirâmides do egito
ainda vão chegar até as estrelas

no centro
o encontro
entre meu silêncio
e o estrondo

depois de muito meditar
resolvi editar
tudo o que o coração
me ditar

PARTE DE AM/OR

investígio

olfato ou fato
um cheiro falso
a brisa traz

um brilho antigo
brinca comigo
de anos atrás

88
*(na passagem
da constelação alice)*

a uma carta pluma
só se responde
   com alguma resposta nenhuma
algo assim como se a onda
   não acabasse em espuma
assim algo como se amar
   fosse mais do que bruma

   uma coisa assim complexa
como se um dia de chuva
   fosse uma sombrinha aberta
como se, ai, como se,
   de quantos como se
se faz essa história
   que se chama eu e você

88

CAMPO DE SUCATAS

saudade do futuro que não houve
aquele que ia ser nobre e pobre
como é que tudo aquilo pôde
virar esse presente poder
e esse desespero em lata?

pôde sim pôde como pode
tudo aquilo que a gente sempre deixou poder
tanta surpresa pressentida
morrer presa na garganta ferida
raciocínio que acabou em reza
festa que hoje a gente enterra

pode sim pode sempre como toda coisa nossa
que a gente apenas deixa poder que possa

87

1987,
TENDE PIEDADE DE NÓS

anos ímpares
são anos vítimas
anos sedentos
de sangue e vingança
todo gozo será punido
e o deserto será nossa herança

anos ímpares
são sarampo ínguas cataporas
bocas que praticam
tacos e cacos de línguas
lixos onde mora a memória

muda a regra, muda o mapa,
muda toda a trajetória
num ano ímpar,
só não muda a nossa história

87

jardim da minha amiga
todo mundo feliz
até a formiga

78

ah se pelo menos
eu te amasse menos
tudo era mais fácil
os dias mais amenos
folhas de dentro da alface

mas não
tinha que ser entre nós
esse fogo
esse ferro
essa pedreira
extremos
chamando extremos na distância

76

Amar você é coisa de minutos
A morte é menos que teu beijo
Tão bom ser teu que sou
Eu a teus pés derramado
Pouco resta do que fui
De ti depende ser bom ou ruim
Serei o que achares conveniente
Serei para ti mais que um cão
Uma sombra que te aquece
Um deus que não esquece
Um servo que não diz não
Morto teu pai serei teu irmão
Direi os versos que quiseres
Esquecerei todas as mulheres
Serei tanto e tudo e todos
Vais ter nojo de eu ser isso
E estarei a teu serviço
Enquanto durar meu corpo
Enquanto me correr nas veias
O rio vermelho que se inflama
Ao ver teu rosto feito tocha
Serei teu rei teu pão tua coisa tua rocha
Sim, eu estarei aqui

68

1.
Animais zelam pela abóbada,
constelações são signos.
Não há sombra de estrelas,
os cometas - solenes,
a lua - enigma.
Corpos celestes - em contacto,
dura luz de sua alta hierarquia.

2.
- As estrelas estão indóceis,
hoje, Senhor,
o céu se fecha.   Vozes dos patronos
estão baixas.
Ninguém forçará o Zodíaco.
Marte cobriu-se de escudos.
A lua está muito suja,
deves crer em tudo,
estrelas murmuram.
Rebelde está Mercúrio,
nada sei de Saturno.

Minha arte, por hoje, cala-se
Cale-se tu, Senhor, a vida rola
em volta do vosso punho.
Eu testemunho.

SOBRE O AUTOR

PAULO LEMINSKI, nasceu em Curitiba, Paraná, em 24 de agosto de 1944 (Virgo). Mestiço de polaco com negro, sempre viveu no Paraná (infância no interior de Santa Catarina).

Publicou: Catatau *(prosa experimental), em 1975, Curitiba, edição do autor.* Não Fosse Isso e Era Menos / Não Fosse Tanto e Era Quase *e* Polonaise *(poemas, 1980, Curitiba, edição do autor). Publicou poemas, com fotos de Jaque Pires, no álbum* Quarenta Cliques. *Curitiba, 1979, Curitiba, ed. Etcetera.*

Foi professor de História e Redação em cursos prévestibulares, diretor de criação e redator de publicidade. Colaborou para o Folhetim da Folha de S. Paulo *e resenhava livros de poesia para a* Veja.

Poemas e textos publicados em inúmeros órgãos (Corpo Estranho, Muda, Código, Raposa *etc.) de Curitiba, São Paulo, Rio e Bahia.*

Teve seus primeiros poemas publicados na revista Invenção, em 1964, então, porta-voz da poesia concreta paulista.

Faixa-preta e professor de judô, viveu em Curitiba com a poeta Alice Ruiz, com a qual teve duas filhas.

Foram publicados pela Brasiliense Cruz e Souza *(Encanto Radical), 1983,* Caprichos e Relaxos *(Cantadas Literárias), 1983,* Matsuó Bashô *(Encanto Radical), 1983, e* Jesus a.C. *(Encanto Radical), 1984.*

Faleceu em 1989.

CADASTRO
ILUMI*N*URAS

Para receber informações
sobre nossos lançamentos e
promoções envie e-mail para:

cadastro@iluminuras.com.br

Este livro foi composto em Times pela *Iluminuras* e terminou
de ser impresso nas oficinas da *Meta Brasil Gráfica*, em
Cotia, SP, em papel offwhite 80g.